boef in de

Tjibbe Veldh

Tekeningen van Marijke Klompmaker

zonnetjes

◄ ij 🗒 ⏱ 💬   Zwijsen

de val

tijn staat in de rij.
hij staat naast toos.
'ik heb een boef,' zegt tijn.
'is dat waar?' vraagt toos.
'ja,' zegt tijn.
'hij zat in mijn val.'
'mag ik hem zien?' vraagt toos.
o o, denkt tijn.
dat kan niet!
hij heeft geen boef.
hij wou stoer zijn!
wat moet hij nu?
'goed,' zegt tijn.
je mag de boef zien.
maar vandaag niet.
kom je morgen?´

na school rent tijn naar huis.
hij bouwt een val.
wat een werk!
maar dan is de val af.
ziezo!

tijn gaat naar bed.
hij kijkt door het raam.
daar is zijn val.
met een teller.
komt er een boef?

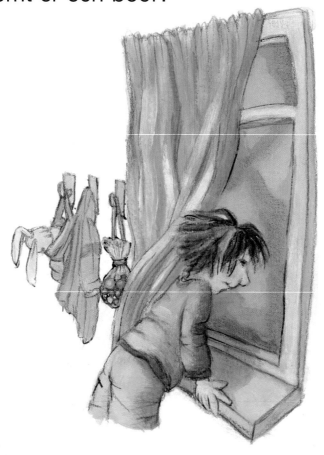

de teller op één

tijn is wakker.
hij rent naar zijn val.
en kijk!
de teller staat op één.
er zit een boef in!
tijn sluipt naar de val.
hij gluurt over de rand.
hij ziet geen boef.
maar wel zijn papa.

die moet naar zijn werk.
tijn haalt hem uit de val.
dan gaat hij naar school.
o o, denkt hij.
wat vertel ik toos?
tijn gaat het plein op.
daar is toos al
ze rent op hem af.
'hallo,' zegt ze
'vandaag mag ik de boef zien!'

'nou,' zegt tijn.
'vandaag niet.
kom je morgen?'
na school rent tijn naar huis.
hij werkt weer aan zijn val.

de brief

het is de dag erna.
tijn is net wakker.
hij holt naar de val.
kijk nou!
de teller staat op twee!
er zitten twee boeven in!
tijn sluipt naar de val.
hij gluurt over de rand.
hij ziet geen boeven.
maar wel mama en fif.
fif is hun hondje.
tijn haalt ze uit de val.
o, o denkt hij.
weer geen boef.
ik ben niet stoer.
wat vertel ik toos?
tijn heeft een idee.

9

hij maakt een brief!
een brief aan de sint!
tijn gaat zitten.
hij maakt zijn brief:

beste sint,

mag er een boef in mijn val?
graag vandaag nog.

tijn

tijn zet een schoen in de val.
daar kan de boef in.
hij doet er een peen in.
die is voor het paard.
tijn doet de brief op de post.
dan gaat hij naar school.
daar komt toos al.
'hallo,' zegt ze.
'vandaag mag ik de boef zien!'
'goed,' zegt tijn.
'kom straks maar mee.'

boef in de val

tijn en toos gaan naar huis.
tijn loopt niet snel.
hij sjokt.
o o, denkt hij.
er zit vast geen boef in de val
sint doet nog niks in een schoen.
het is lente!
en sint heeft vast geen boeven.
een boef is geen speelgoed.
daar is de val.
'ik hoor wat,' zegt toos.
'het komt uit de val.'
ze rent weg.
een stuk verder staat ze stil.
tijn hoort het ook.
knaag ... knaag ...
'er zit wat in de val,' zegt tijn.

'ben je een boef?'
'nee hoor,' hoort tijn.
tijn denkt na.
het is vast wel een boef.
die jokken vaak!
tijn sluipt naar de val.
knaag ... knaag ...
hij gluurt over de rand.
in de val zit sint.
hij eet van de peen.
'waarom wil je een boef?'
zegt de sint.
'toos wil hem zien,' zegt tijn.
'ik zei dat ik een boef had.
maar dat is niet zo.'
hij zegt het niet hard.
toos hoort het dan niet.
'o,' zegt de sint.
'ik snap het.'

'mag ik nu uit de val?'
'nee,' zegt tijn.
'nog niet.
wilt u mijn boef zijn?'

15

daar gaat de boef

'boef zijn?' vraagt de sint.
'hoe doe ik dat?'
tijn legt het uit.
'slim plan!' zegt de sint.
'toos!' roept tijn.
'er zit een boef in de val!
hij stal een jurk en jas.
weet je van wie?
van de sint!'
toos komt er aan.
'oo!' roept ze.
'hij heeft ze nog aan ook!
dat is stout!'
'mag ik er nu uit?' vraagt de boef.
'ja,' zegt tijn.
'ik sluit je op.
ik breng je erheen.

zul je braaf zijn?'
'ja,' zegt de boef.
tijn laat de boef uit de val.
de boef holt weg.
'stop!' roept tijn.

de boef stopt niet.
hij klimt op een paard.
dat stond bij de schuur.
het paard loopt snel weg.
'het geeft niet,' zegt tijn.
'ik vang nog wel een boef.'
'doe maar niet,' zegt toos.
'waarom niet?' vraagt tijn.
'je wilt toch boeven zien?'
'nee hoor,' zegt toos.
'ik dacht dat er geen boef was.
ik dacht dat je stoer deed.'
'nou moe!' zegt tijn.
'wil je geen boeven zien?
waarom wou je dan mee?'

'ik speel graag met jou,' zegt toos.
'o,' zegt tijn.
dat maakt hem blij

hij speelt ook graag met toos.
tijn speelt met toos.
toos speelt met tijn
en met de val!

19

Zonnetjes bij kern 3 van Veilig leren lezen

1. ik kan het wel!
Bies van Ede en Jeska Verstegen

2. sam-sam
Erik van Os & Elle van Lieshout en Daniëlle Roothooft

3. boef in de schoen
Tjibbe Veldkamp en Marijke Klompmaker